Good Luck

Alex Rovira
Fernando Trias de Bes

グッドラック

アレックス・ロビラ
フェルナンド・トリアス・デ・ベス
田内志文 訳

装丁　長坂勇司

目次

セントラルパークでの再会

よく晴れた、ある春の日の午後。六十四歳になる初老の男、マックスは、セントラルパークのお気に入りのベンチに腰かけていた。カジュアルながらもどこか上品な身なりをして、木々を優しく揺らす風のなか、行き過ぎるカップルや走りまわる子どもたちを眺めていた。そうやって気持ちを静かにして草の上に素足を投げ出していると、これまで必死に働いてきた日々が遠い昔のことのように感じられた。なにもかもが過ぎ去り、自分はいま満ち足りた気分でのんびり青空の下に座っている。これほどの幸福があるだろうか。マックスは深々と息を吸い、ゆっくりと吐き出した。

そのときだった。マックスのとなりにひとりの男が腰を下ろした。

見ると、どうやらマックスと同年輩のようだ。彼は男が座りやすいように横にずれながら、そっと男の顔を盗み見た。

「どこかで見たことのある顔だ……」

男の青い目を見ていると、なぜか遠い昔に会ったことがあるような気がしてならなかった。

男のほうも、マックスの顔をじっと見つめていた。なにかが胸につかえているように目を細めながら。やがて、男は口を開いた。

「もしかして、マックスかい……？」

その言葉に、マックスの頭に懐かしい名前が浮かんだ。

「ジム!?」

「やっぱり！　そうだと思ったんだ！」ジムが叫んだ。

「まさか、こんなことがあるなんて！」マックスも、思わず大声を出していた。

ふたりは笑いながら立ち上がると、相手を確かめるように、しっかりと握手を交わした。

マックスとジムは、少年時代の親友だった。お互いニューヨークのブロンクスに住み、家族ぐるみのつきあいをしていたのだ。しかし、十歳のころジムたちが黙って引っ越してしまってからというもの、すっかり音信が途絶えていた。それがまさか、こんなところで会えるとは。ふたりにとってそれは、驚くべき幸運だった。

「それで君は、あれからどうしていたんだい？」

ひととおり昔話に花を咲かせた後、ジムが言った。

「わたしは、あの後すぐに働きはじめたんだ」マックスが答えた。

「知ってのとおり、うちは貧乏だったからね。学校になんて行かせてもらえなかった。最初に洗車の仕事をやって、次はホテルのベルボーイ。あとは知り合いに紹介してもらいながら、高級ホテルのドアマンの仕事なんかを転々としていったんだ」

「そうか。それは大変だったね」ジムが感慨深げにうなずいた。

「いや、そうでもなかったんだよ」マックスはいたずらっぽい笑顔を浮かべた。まるで十歳の少年に戻ったかのように。

「二十二歳で経営者側に回ってからは、どんどんうまくいくようになったんだ」

「へえ」ジムは興味深そうに身を乗り出した。

「いったいどんな仕事をしたんだい?」

「カバン作りだよ」マックスは答えた。

「貯金をぜんぶはたいた上にローンを組んで、小さな工場をひとつ買ったんだ。工場と言っても、家と作業場がくっついた粗末なものだったけどね。それでも、どんなカバンを作ればいいかはよく分かっていたから、それほど不安じゃなかった」

「というと?」

「レストランやホテルで仕事をしているあいだに、金持ちがどんなカバンを持ちたがるのか、いやというほど見てきたからね。それと同じようなものを作ればよかったのさ」

「そんなもんなのかい？」ジムはいぶかしげにマックスを見た。

「その証拠に、一年目はそこそこの成績をあげることができた。わたしはそのお金で全国を旅しながら、人のカバンを調べてまわることにしたんだ。カバンを持っている人をつかまえては、しつこく話しかけたもんだよ」

マックスは本当に楽しそうに昔のことを振り返った。その様子を見ていると、ジムはなんだか自分まで楽しくなってくるような気がした。

「そこからは、すべて順調だった」マックスは、旧友に自分の過去を打ち明ける楽しみにすっかり熱中していた。

「十年間そうやって同じことをくり返して、流行の先を読むようにしたんだ。そうしたら、毎年ヒット商品を出せるようになった。あとはチェーンをひとつ増やし、三つ増やし、今では世界中に二十カ所の工場と二千人の従業員を持つことができるようになったというわけさ」

「なるほど……」ジムは、複雑な表情を浮かべた。

「君のほうはどうだったんだい？」

「いや、ひどいもんだったよ」ジムはしばらく押し黙った後、首を横に振りながら答えた。

「ひどいって？」マックスは、声の調子を落として身を乗り出した。

「実は、引っ越したのは、祖父が他界して父が織物工場を継いだからなんだ」ジムは遠くを見つめながら、嚙《か》みしめるように言った。

「黙ったまま引っ越したのは、なんとなくご近所には言いづらかったからなのさ。遺産が転がりこんだなんてね」

「そうだったのか」マックスも、ジムと同じほうへ、見るともなしに目を向けた。

「言い出しづらいほど、すごい遺産だったのかい？」

「そうなんだよ」ジムは深くうなずいた。

「祖父の工場はとても調子がよくて、まさにひと財産だった。それを、父がさらに大きくしたんだ。だけど父が他界してからというもの、僕たちはすっかり運に見放されてしまった」

「そうだったのか……」マックスは地面へ視線を落とした。

「競争相手がたくさん出てきてね」ジムは続けた。

「うちの商品は売れなくなってしまった。だからって、質が悪かったってわけじゃないんだ。質だけでは売れない時代になってしまったんだよ。他の会社は、質より流行を追い求めていたのさ」

マックスは、なんと声をかけていいのか分からなかった。ただ黙ってジムを見つめていた。だが、そうして見れば見るほど、やつれはてた横顔にどこか育ちのよさが残っている気がして、たまらなく切なくなった。

ジムは自分の人生を振り返るように、とめどなく先を続けた。

売り上げが落ちつづけてもあきらめず、経営を続けていったこと。どんなに節約しても、どんなに考えても、業績は落ちるばかりだったこと。

やがてどうにも首が回らなくなり、気づけば破産へと追いこまれていたこと。飢えをしのぐために、近所に食べ物を分けてもらうことさえあったこと……。

やがて、当時の絶望を思い出したようにうつむくと、力なく微笑《ほほえ》みながら肩をすくめてみせた。

「僕も、君みたいに運さえあったらなあ……」

「運？」マックスは、思わず聞き返していた。

「そう、運だよ」ジムは深くうなずいた。

「同じように会社を持っても、君には運が微笑み、僕には微笑まなかったということさ」

マックスは、じっと目をつぶって考えこんだ。怒っていたわけではなかった。

「いや」ジムが、沈黙を恐れるように言った。

「怒らせようとしてるわけじゃないんだ」

だが、マックスはそんなことは気にするふうでもなかった。

「いいかい、ジム。わたしの祖父は、遺産なんてひとにぎりも残してくれやしなかった。でもその代わり、運と幸運の違いを教えてくれた。君には、それが分かるかい？」

「運と幸運の違い？」ジムが怪訝《けげん》そうに言った。「同じものだろう？」

「まあ、聞いてくれよ」マックスが言った。「祖父がまだ生きていたとき、ある話を聞かせてくれたんだ。もしその話を聞いていなかったら、おそらく最初の工場も買っていなかっただろう。わたしがうまくいったのは、なにもかもその話のおかげなんだよ」

ジムが「そんなことあるはずがない」という顔をしているのを見て、マックスはさらに熱っぽい声で続けた。

「わたしたちはもう六十四歳になってしまった。しかし、今からでも遅くない。どうだい？　この話を聞いてみないか？」

　ジムは複雑な気分だった。せっかく数十年ぶりに再会した親友とのあいだに溝を感じるのも、なんだかあわれまれているような気がするのも、気持ちのいいものではなかった。

　マックスは、黙ったままのジムを見て言った。

「運と幸運は、まったく別のものなんだ。運は確かにそうそう巡ってくるものじゃないし、巡ってきてもすぐに離れていってしまう。宝くじを当てた人の九割は、十年以内にすっかり元の暮らしに戻ってしまうのを知ってるかい？　でも、幸運は誰でも自分の手で作り出すことができるんだ。そして、手にした人に必ず幸せを運んでくれる。本物の幸せをね。だから幸運と呼ばれているんだよ」

「本物？」ジムが身を乗り出した。「どうしてそんなことが分かるんだい？」

「その質問に答えるためにも、話をさせてくれないか」マックスの目は真剣そのものだった。

ジムは考えた。どうせ、今さらすべてをなかったことにできるわけではない。それに、マックスはどうも本心からその話を聞かせたいと思っているようだ。ずっと昔、まだとなりに住んでいたころ、マックスがそんな顔を見せてくれたことがあったような気がした。「ああ、彼は昔のままだ」そう思うと、先ほどまでの複雑な気分の雲間から、うれしさが顔をのぞかせた。

「よし、聞いてみよう」ジムはうなずいた。

運は、呼びこむことも引き留めることもできない。
幸運は、自らの手で作り出せば、永遠に尽きることはない。

運命をわけたクローバーの物語

森へ

はるか昔。徳の高い魔術師マーリンが宮廷魔術師だったころ、王国はたいへん平和なところだった。王は「どうかこの国を平和へと導いてくれ」とマーリンを頼り、またマーリンも、その期待を裏切ることなく騎士たちを統率し、民を想い、国じゅうに目を配りつづけていた。

不穏な影など見えようはずもなかった。王国の誰もがマーリンを敬い、ときには畏《おそ》れていたからだ。人々はいつも一日が始まると大きく窓を開け、朝日にきらめく野や丘を眺めながら、平穏な日々を送れることを心から喜んだ。

だが、一方で不満をつのらせる人々もいた。騎士たちだ。彼らのなかには、自慢の剣を振るう機会も、馬を走らせる機会もなく、ただ悶々《もんもん》と日々を過ごす者が少なくなかった。かといって、平和が乱れてほしいと願っていたわけではない。ただ、己の騎士としての力を試したかったのだ。そのため、マーリンのところには「どうか腕試しをさせてくれ」とやってくる騎士たちが後を絶たず、これにはマーリンも頭を悩ませていた。

そんなある日のこと。マーリンの号令で国じゅうの騎士たちが集められた。騎士たちは「これぞまさしく腕試しへの招待にちがいないぞ」と大急ぎで馬を走らせ、王城に駆けつけた。広場には、きらめく甲冑《かっちゅう》に身を包んだ騎士たちがひしめきあっていた。

やがて、マーリンが現れた。いかにも魔術師といった白いローブ、たっぷりとしたひげと大きな杖《つえ》。その姿からは、深く静かな威厳が感じられた。

「よく来てくれた、騎士たちよ!」

マーリンは両腕を大きく広げると、目の前に集まった騎士たちに向けて話しはじめた。

「これまで長きにわたり、そなたたちは腕試しをしたいと申し出てきた。今日ここに集まってもらったのは、その願いを聞き届けるためだ」

その言葉に、騎士たちのなかからざわめきが起こった。長いあいだ、飾りでしかなかった剣や槍《やり》を振るうことができるのかと思うと、体の底から興奮が吹き出してくるようだった。その腕試しとやらは武術会だろうか、それとも槍試合だろうか。騎士たちの胸のなかで期待がみるみるふくらんでいく。全員、息をのんでマーリンの次のひとことに神経を集中させた。

「今日から七日目の朝、魔法のクローバーが生えるという」

綿ぼこりの落ちる音も聞き取れそうな静寂のなか、マーリンは騎士たちを見渡しながら告げた。

その言葉に、騎士たちは狐につままれたような顔になった。何人かがひそひそ声で話し出した。皆、マーリンの言う魔法のクローバーがなんのことだか、さっぱり分からなかったのだ。

「落ち着け。まだ続きがある」マーリンは騎士たちを制した。

「魔法のクローバーは、四つ葉のクローバーの形をしておるが、ただのクローバーではない。手にした者に幸運をもたらしてくれるという、奇蹟のクローバーなのだ。愛、仕事、富、すべての面で、限りなき幸福をもたらしてくれるであろう」

騎士たちは、マーリンの話に色めき立った。誰もが、その魔法のクローバーを手にしたくてたまらなかった。何人かの騎士たちが大声で歓喜の叫びをあげはじめたので、マーリンはそれをしずめねばならなかった。

「まだ話は終わっておらぬ」彼はそう言うと、騎士たちが静かになるのを待ってから先を続けた。

「魔法のクローバーは、ここから十二の丘を越えた『魅惑の森』に生えるという。ただし、森のどこに生えるかまでは分からぬ。そなたたちに、その魔法のクローバーを探しにいってもらいたい。誰か、力を示したい者はおらぬか？」

騎士たちの口から深いため息が漏《も》れた。もうすでにあきらめたかのように、地面に目を落としている騎士までいる。それも無理はない。『魅惑の森』は、王国じゅうの街を合わせたよりも広いのだ。そんなに広い森からたった一本のクローバーを探すなど、どう考えても無理だ。それならばまだ、藁《わら》のなかの針を探すほうが、何百倍、いや、何千倍も簡単だろう。

見れば、もう何人かは広場を後にしはじめている。そして、ひとりが出ていってしまうと、それに続くように残った騎士たちもぞろぞろとその場を去っていってしまった。

マーリンは、眉をひそめて首を小さく振りながら、広場を見まわした。残ったのは、ふたりだけだった。

「そなたたちは残るのか？」マーリンが尋ねた。

黒いマントの騎士、サー・ノットは、一歩前に進み出た。

「確かに難しい試練です。魅惑の森の広さならば存じております。しかし、誰かの手を借りることもできるでしょう。必ずや、魔法のクローバーを見つけてごらんにいれます」

もうひとりの騎士、白いマントのサー・シドは、マーリンに見つめられても黙ったままだった。そして、しばらく言葉を探してから、こう言った。

「わたしも森へと参り、魔法のクローバーを手に入れてみせましょう」

ふたりの騎士はマーリンに別れを告げると、それぞれ黒い馬と白い馬にまたがり、城を後にした。一路、魅惑の森をめざして。

誰もが幸運を手にしたがるが、自ら追い求めるのはほんのひとにぎり。

新しい土

ふたりは別々に馬を走らせながら魅惑の森をめざした。なにしろ不慣れな、険しい道だ。自分の屋敷と王城との間を行き来するのとはわけがちがう。ときどき馬を休ませ、足を止めては方角を確かめながら進んだ。

そうして、ようやく森にたどりついたのは、城を出て二夜目のことだった。

クローバーが生えるまで、あと五日。一刻の猶予《ゆうよ》も残されてはいない。どうにかして、この広い森から魔法のクローバーを探し出さなくては。

森は、ふたりが思っていた以上に深かった。頭上は鬱蒼《うっそう》とした木々の枝に厚く覆われ、昼間でもそうそう陽の光など漏れてこなかった。奥のほうへ目をこらしてみても、吸いこまれるような限りない暗闇が広がるばかり。騎士たちは、どこかで鳴く動物の声や、草や木々がガサガサ揺れる音に神経を張りつめながら、さらに奥へと足を踏み入れていった。青い草の匂い、土の匂い、ひんやりとした空気。ふたりはまるで、自分たちが森につかまり、二度と引き返せないのではないかという気持ちになった。そんなとき、シドとノットはいやでも決意を新たにせざるをえなかった。

とはいえ、なにしろほとんど休まずに森へとやってきたせいで、ふたりともくたくたに疲れていた。とにかく、まずは休まなくては。ふたりは適当に横になれる場所を見つけると馬を木につなぎ、ごろりと横になった。

あたりは、街とはまるで別世界のように静まり返っていた。眠りに落ちたふたりの騎士を、闇の向こうから森の生き物たちの目が見つめていた。

ノットは翌朝早くに目を覚ますと、体についた朝露をはらいながら立ち上がった。さて、今日からクローバーを探さなくては。だが、いったいどうすればいいだろう?

「いくら魔法のクローバーとはいえ、クローバーというからには地面から生えるに決まっている。となると、地面にくわしい者に尋ねるのがよいだろう」ノットはあごに指をあて、じっと考えた。

「そうだ。大地の王子ノームならば、なにか知っているにちがいない。なにしろ、大地のことならなにもかも知り尽くしていると言われているのだから」

ノットは馬にまたがると、ノームを探して森じゅうを歩きはじめた。だが、どこを見まわしても同じような景色の広がる森のなかでは、見ず知らずのノームを見つけることなど不可能と言ってもよかった。ノットは行く先々で森の生き物たちにノームの居所を尋ねまわった。すると、意外にも簡単に居場所をつきとめることができた。

「これは幸先《さいさき》がいいぞ。もう、魔法のクローバーはもらったようなものだ」

ノットはほくそ笑みながら、ノームの住処《すみか》へと馬を向けた。

ノームは、ノットが聞いたとおりの場所にいた。深い穴ぐらのような家から森へ出てきて、なにかをしているところだった。

「なんの用かな？」ノームは、ノットの姿を見つけると言った。「森の生き物どもが、お前がわたしを探しまわっていると噂《うわさ》しておるぞ」

「そのとおり」ノットは馬を下りながら答えた。

「実は、今日から五日目の朝に、この森のどこかに魔力を持った四つ葉のクローバーが生えると聞いてきたのだ。クローバーといえば地面から生えるに決まっている。大地の王子であるお前ならば、どこから生えるか知っているだろう。さあ、どこに生えるのか教えてくれ」

「ふむ……」と、ノームは考えこむように言った。

「確かに、魔法のクローバーのことなら聞き及んでおる。その力についてもな。だが、この森には生えぬ。この森にそんなものが生えるだなんて、ありえないことだ。誰にそんなでまかせを聞いたのか知らぬが、お前はだまされたのだよ」

「なに？　それは本当か？」ノットは信じられない様子でノームに詰め寄った。

「もしや、白いマントを着た騎士に、もう教えてしまったのではあるまいな！」

「白いマントの騎士など知らぬ！」ノームも負けじと大声で怒鳴り返した。「さっきも言ったが、この森にクローバーなど生えぬ！　一本たりとも、絶対に生えないのだ。さあ、これで満足か？　満足したなら、とっとと帰るがよい。この森に住んで百五十年、そんな話、聞いたこともない」

これ以上、なにを聞いても無駄だ。彼は憮然《ぶぜん》とした顔で馬にまたがると、その場を立ち去った。もしかしたら、ノームがまちがっているのかもしれない。あるいは、マーリンがまちがっているのかもしれない。いずれにせよ、ノームに尋ねるという手は失敗に終わった。ノットは自分が運に見放されているように感じ、心細くなった。

「いや、俺がまちがっているはずがない」

馬の背に揺られながら、ノットは何度も自分にそう言い聞かせた。すると、心細さがしだいに薄らいでいくように思えた。きっと、ノームがまちがっているのだ。これだけ広い森だ。どこかに魔法のクローバーのことを知っている者がいるにちがいない。

ノットは翌日まで待ち、また誰かを探しにいくことに決めた。

さて、一方のシドも、同じく森の生き物たちに聞いたノームの住処へと馬を進めているところだった。数万年を経てきた固い森の土を馬が踏みしめるたびに、薄暗い森に乾いたひづめの音が弱く響いた。

ノームは、何者かが近づいてくるのに気づくと、音のするほうへと目をこらした。やがて、白いマントを着た騎士がやってくるのが見えた。先ほどの騎士が言っていた白いマントの騎士とはもしやこの男か、と思っているうちに、騎士は馬を下りて彼に近づいてきた。

「あなた様は、この森にお住みの大地の王子、ノーム殿ではありますまいか？」白いマントの騎士シドは、うやうやしく尋ねた。

「まさしくそのとおり。なにか知りたいことでもあるのか？」ノームは、注意深くシドの顔をのぞきこむようにしながら聞いた。

「はい。実は、今日から五日目の朝、この森のどこかに魔法のクローバーが生えると……」

「また魔法のクローバーか！」ノームはシドの言葉をさえぎるように大

声で言った。

「さっきもほかの騎士に教えてやったばかりだが、この森に魔法のクローバーなど絶対に生えやしない。誰に聞いたか知らぬが、おそらくその御仁《ごじん》がまちがっていたのだ。そうでなければ、酒でも飲みすぎていたのだろう。さあ、分かったらとっとと城へ引き返し、すこしなりとも民のために働くがよい！」

シドは、黙ったまま考えこんだ。ノームの表情は嘘《うそ》を言っているようには見えなかった。だが、それではマーリンが言っていることと矛盾してしまう。しかし、マーリンもノームも、シドをだましたところでなんの得もないのだ。「この矛盾を解くことこそがカギにちがいない」シドは直感した。

「どうか、お気をおしずめくださいませ」シドは静かに、ていねいに言った。「それは、この森にはどこにも生えないということでしょうか？」

「そのとおり！」ノームは、まだ怒りをおさえきれない様子で言った。

「絶対に、どこにもだ！」

そう言い放つと、ノームは自分の住処へ引き返そうと、くるりと背を向けた。

「お待ちください。あとひとつだけお教えいただきたいことがあります」

シドはあわてながらも慎重に続けた。

「なぜクローバーが生えないのかを、知りたいのです」

ノームはもうドアの隙間《すきま》へ消えようとしていたが、足を止めると振り向いた。

「それは土のせいだ。この森が生まれてからというもの、誰も土を入れ替えたことがない。そんな古く乾いた土では、魔法のクローバーは生えないのだ。魔法のクローバーは、ほかの草や、ただのクローバーとはちがうのだよ」

「それならば、大地の王子ノームよ」シドの胸のなかで、絡まった糸がほどけはじめた。

「もしもこの森に魔法のクローバーを生やそうと思うならば、土を入れ替えなくてはならないのですね？」

「そのとおり」ノームは深くうなずいた。どうやら、怒りもしずまってきたらしい。

「なにか新しいものを手にするには、新しいことを自らしなくてはならぬ。土のせいで育たぬのだから、土を替えることだ」

「どこでならば、新しい土を見つけることができますか？」

「ここから数マイルほど行ったところに、カウルズたちの国がある」ノームは、遠くを指さしながら言った。

「そこに行けば、いい土が手に入る。カウルズというのは十二本の脚を持った小さな牛でな。その糞《ふん》がいい肥やしになっているのだ。あの土ならば問題あるまい」

シドは深々と頭を下げて礼を言い、ノームの住処のドアが閉まるのを見届けると馬にまたがり、カウルズたちの国へと向かった。

「とにかく自分は一歩前進したのだ」という思いに、頬《ほお》がゆるんだ。

カウルズたちの国に着いたのは、もう夕方になってからだった。ノームの言っていたとおり、そこには豊かな土の香りが立ちこめていた。

「土の香りとは、こんなにも豊かなものか」シドは驚かずにはいられなかった。

生まれて初めて土を知ったような気持ちだった。シドは馬の鞍《くら》にくくりつけていた袋に土を詰めこんだ。柔らかくひんやりとした土の感触は、いかにも栄養がありそうだった。早く森へ帰ってその土を敷きたいと思わずにはいられなかった。

森に帰ったシドは、できるだけ静かな、開けた場所を選んだ。地面から草を抜き、根をかきだして、裸の地面をむきだしにした。彼が持ってきた土とはまったくちがう、いかにも古そうな土が顔をのぞかせた。シドは汗だくになってその固い土を掘り返すと、持ち帰ってきたばかりの土をそこに敷き詰めた。木々や草と、新しい土の香り。シドは深々とそれを吸いこんだ。これまでかいだことのないその爽《さわ》やかな香りをかいでいると、見たことのない魔法のクローバーがそこから芽を出すように思えてきた。

一日じゅう動きまわってくたくたに疲れていたシドは、その場所のすぐとなりに横になり、自分が敷いたばかりの土をじっと見つめた。ほんの小さな場所だった。この森のどこかに魔法のクローバーが生えるとはいえ、こんな狭い場所に生えるような偶然は起こらないのではないだろうか。

「だが、とにかくノームの言う理由はこれでなくなったのだ」

明日の朝を待ち、またほかの理由を探しにいけばいい。なぜだか分からなかったが、シドの胸には確信が芽生えていた。

シドは、新しい地面にクローバーが芽を出すところを想い描きながら眠りについた。そうしていると、「魔法のクローバーはここには生えないのではないか」という不安は自然と薄らいでいくのだった。

夜になり、森は静まり返った。あと四日である。

幸運が訪れないからには、訪れないだけの理由がある。
幸運をつかむためには、自ら下ごしらえをする必要がある。

湖

四日目の朝は、いつになく肌寒かった。森じゅうでいろいろな野鳥が鳴く声が聞こえた。ノットは、固い地面で寝ていたせいで痛む背中をさすりながら立ち上がると、大きく伸びをし、野イチゴで朝食をすませた。さて、今日こそは魔法のクローバーのことを知っている誰かを見つけなくては。彼は眠い頭を無理やり起こし、体を引きずるようにして出発した。「さて、ノームの言ったことは本当だったのだろうか」馬に揺られながら、ノットは昨日のことを思い返した。「もしかしたら、ノームが嘘をついたのかもしれない」

だが、本当のことが分かるはずもなかった。結局彼は、「俺がまちがっているはずがない」と自分に言い聞かせながら、あてもなく森をうろつくことになった。

半日ほど過ぎたとき、ノットはどこからか水の音がしてくるのに気づいた。思えば、馬ものどが渇いているにちがいないし、自分もひとやすみして冷たい水で顔を洗いたい。ノットは音のするほうに馬の鼻先を向けた。

音の正体は、大きな湖だった。高い木々に囲まれた湖の水面は穏やかで、まるでよく磨かれた鏡のように周囲の景色を映し出していた。浅瀬のあちこちに赤や白のスイレンが咲き乱れていた。それまでずっと陰鬱《いんうつ》な森の景色ばかり見ていたせいか、ノットはこんなに美しい花は見たことがないとすら思った。彼は馬に水を飲ませるために地面に下り立つと、自分も湖のほとりにかがみこんだ。と、そのとき、とつぜん女の声がした。

「誰ですか？」

これまた、かつて耳にしたこともないような美しい声だった。まるで鈴の音のように澄み渡るその声は、湖をすべるように静かに響いた。

ノットが顔を上げて声の主を探していると、水面が盛り上がり、だんだん人の形になり、やがて、ひとりの女性が姿を現した。その神々《こうごう》しさに、ノットは思わず息をのんだ。「もしや、これは噂に聞く湖の女王ではあるまいか」もしそうなら、魔法のクローバーのことをなにか知っているかもしれない。

「わたしは、黒いマントのノットだ」ノットは答えた。

「そなたとそなたの馬は、わたしの湖でいったいなにをしているのです? 水を飲んだのならば、もう用はないでしょう。すみやかに立ち去りなさい。スイレンたちが目を覚ましてしまいます」

湖の女王は悲痛な顔で事情をノットに話して聞かせた。スイレンたちは昼寝中であること。夜じゅうスイレンに唄わせないと、湖の水があふれてしまうこと。そうなれば森が水浸しになってしまうこと。そのために、昼のあいだはスイレンたちが目を覚まさないように、自分が見張っていなければならないのだ、と。

「分かった。すぐに立ち去るから、ひとつだけ教えてくれ」ノットは、湖の女王の言葉をさえぎるように言った。

「この森に魔法のクローバーが生えるというのだが、どこに生えるのか知っていたら教えてはくれまいか」

女王は返事をするかわりに、おかしくてたまらないといった様子で吹き出した。ノットはなにがおかしいのかさっぱり分からず、困惑した顔でそれを眺めているしかなかった。

「この森に、魔法のクローバーなど生えやしませんよ」女王はひとしきり笑ってから言った。

「見てのとおり、この森には水流がないのです。魔法のクローバーは水流のそばでないと育たないのですよ。無駄足でしたね」

湖の女王は言い終えると、笑いをこらえながら弾け飛ぶように姿を消した。その体は一瞬のうちに細かい水の粒となり、秋の雨のように湖に降り注いだ。水面が乱れ、そこに映る景色が印象派の絵画のようにやわらかくぼやけた。

だが、そのような幻想的な光景もノットの目には入らなかった。たった今、目の前で女王から言われたことを胸のなかでくり返し、すっかり暗い気持ちになっていた。やはり、この森には魔法のクローバーは育たない。自分は半日もかけて、それを確かめるためにくたくたになっていたのだ。なんと馬鹿らしいことだろう。またしても運に見放された絶望感が、分厚い黒雲のようにノットの胸を覆いはじめた。

「いや、ほかを当たればきっと大丈夫だ」ノットは小声でつぶやくと、自分を勇気づけるようにうなずいた。

「誰か必ず、魔法のクローバーを知っている者がいるはずだ」

彼はだんだん、嫌気がさしはじめていた。こんなにも追い求めているのに、運はまるで彼をあざけるかのように、するりとどこかへ消えてしまう。自分にできることといえば、ただ待っていることだけなのだ。ノットは自分の身を呪《のろ》わずにはいられなかった。

だが、そんなことを考えてもどうしようもない。ノットは馬にまたがると、運が自分に向いてくるように祈りながら、森へと入っていった。

一方のシドは、すこし遅れて目を覚ました。前日に地面を掘り返したせいもあり、疲れていたのだ。シドは起き上がると、朝食のリンゴを馬と分け合いながら、今日一日どうするかを考えた。すぐ横の地面は、新しい土を敷いたところだけちがう色をしていた。ほんのわずかの広さ。シドはまだ、その場所に魔法のクローバーが生えるかどうか、不安を感じずにはいられなかった。だが、そんなことを言ったところで、どうなるものでもない。

「土は手に入れた」シドは、雑念を追い払うように声に出して言った。「次は水だ。植物を育てるには、土と水。どれほどの水が必要なのかを調べなくては」

するとと、自然と行くべき場所が思い浮かんだ。湖だ。魅惑の森の湖といえば、湖の女王が住むことで知られている。

「あそこに行けば、なにか手がかりが得られるかもしれない」シドはつぶやくと、馬にまたがって湖へと向かった。

あちこち探しまわりながらようやく湖にたどりついたのは、ノットが立ち去ったすぐ後のことだった。あたりはすっかり静まり返っていた。シドはその静寂をやぶらないようにと、注意深く湖のほとりへ足を運んだ。だが運悪く、地面に転がっていたカタツムリの殻を踏みつぶしてしまった。

殻の割れる乾いた音が、やけに大きく響いた。

「いったいここでなにをしているのです？」その音に、湖の女王が姿を現した。「スイレンたちが起きてしまうではありませんか。用がないのなら、すぐに立ち去りなさい」

そして彼女は、ノットにしたのと同じように、スイレンと湖のことを説明して聞かせた。

「そのおかげで、わたしは眠ることもできないのです。昼はスイレンたちを見張り、夜はスイレンたちの歌声のせいで眠れません」

シドは愕然《がくぜん》とした。もちろん、初めて見る湖の女王の美しさのせいもあったが、それよりも、彼女の言葉にショックを受けていたのだ。それが本当だとするならば、シドは水を持ち帰ることができなくなってしまう。スイレンを起こさないように水を運ぶのは、どう考えても不可能のように思えた。

だが、この森でほかに水が手に入るとも思えない。つまり、手詰まりになってしまったのだ。彼はうつむいて首を横に振ると、かわりに湖の女王をなんとか助けることができないかと考えた。どうせ今日はほかにしようと思っていたこともないのだし、水が手に入らないとなればあきらめるしかない。水が手に入らないのは深刻だが、それよりも女王の抱えている問題のほうが切実であるように思えた。

「なぜ、スイレンたちが唄わないと水が減らないのですか？」シドは小声で尋ねた。

「それは、水の出口がないからです……」湖の女王は声を落とし、うつむいた。「湖からは、川も水流も流れ出していないのです。だから、スイレンたちだけが頼りなのです」

それを聞いた瞬間、シドに名案が浮かんだ。その案を実行すれば、シドも湖の女王も、どちらも救われることになるはずだった。

「わたしでよければ、お助けいたします」シドは言った。

「ですがその前に、ひとつお教えください。魔法のクローバーを育てるには、どの程度の水が必要なのでしょうか？」

「たくさん必要です」と、女王は答えた。

「水流から、直接水を引いてやらねばなりません。魔法のクローバーが生えるには、近くに水流がなくてはならないのです」

「それならば、わたしとあなたのどちらをも助ける道があります！」シドは興奮して、思わず大声になってしまった。

「しー！」女王がはらはらした顔で、シドをにらみつけた。

「そんな大声を出したら、スイレンたちが目を覚ましてしまいます！」

シドは、あわてて両手を口に当てた。

「それで、どうすればいいと……？」女王は、シドがそれ以上大声を出さないのを確かめると、聞いた。

「わたしが水流を掘ればいいのです、女王」シドが静かに答えた。「そうすれば、水はこれ以上溜《た》まらなくなりますし、わたしも水が手に入ります」

湖の女王は、シドの顔をじっと見つめた。確かにそれはいい考えに思えた。成功したら、これからは自由に眠りにつくことができるはずだ。

「分かりました」女王は納得したようにうなずいた。「そのかわり、静かにお願いしますよ」

シドが答える前に、女王は湖のなかへと姿を消してしまった。

さて、ぼやぼやしている時間はない。シドは水面がしずまるのを待つと剣を抜き、それを馬の鞍にさかさまにしばりつけた。そして、自分が土を敷いた場所へと馬を走らせた。馬が通ると、後には剣がえぐった溝ができ、そこへ湖の水が流れこんでいった。そしてついに、その場所へとたどりついたのだった。土に水が染みこんでいくのを、シドは興奮しながら見つめた。

その夜、シドは土と水を眺めながら横になった。魔法のクローバーが芽を出すところを想い描いてみると、不思議なことに、昨日よりははっきりと想像できるような気がした。「この場所で合っているのだろうか」という不安もずいぶん軽くなっていた。それよりも、こうして下ごしらえをしていることへの自信のほうがはるかに強かった。少なくとも、魔法のクローバーが育つ条件をふたつそろえたのだ。明日になれば、また別の条件を探すこともできる。そう思うと、次の朝が待ちきれないような気持ちにすらなった。

夜はどんどんふけていく。魔法のクローバーが芽を出すまで、あと三日。

郵便はがき

おそれいりますが切手をおはりください。

102-8519

東京都千代田区麹町4-2-6 9F

〈受取人〉

株式会社 ポプラ社

一般書編集部 行

お名前 (フリガナ)

ご住所 〒 TEL

e-mail

ご記入日 年 月 日

ご愛読ありがとうございます。

読者カード

●ご購入作品名

[　　　　　　　　　　　　　　　　]

●この本をどこでお知りになりましたか？

1. 書店（書店名　　　　　　　　　）　2. 新聞広告
3. ネット広告　4. その他（　　　　　　　　）

年齢　　歳　　性別　男・女

ご職業　1.学生（大・高・中・小・その他）　2.会社員　3.公務員
4.教員　5.会社経営　6.自営業　7.主婦　8.その他（　　）

●ご意見、ご感想などありましたら、是非お聞かせください。

●ご感想を広告等、書籍のPRに使わせていただいてもよろしいですか？

（実名で可・匿名で可・不可）

●このハガキに記載していただいたあなたの個人情報（住所・氏名・電話番号・メールアドレスなど）宛に、今後ポプラ社がご案内やアンケートのお願いをお送りさせていただいてよろしいでしょうか。なお、ご記入がない場合は「いいえ」と判断させていただきます。

（はい・いいえ）

本ハガキで取得させていただきますお客様の個人情報は、以下のガイドラインに基づいて、厳重に取り扱います。

1. お客様より収集させていただいた個人情報は、よりよい出版物、製品、サービスをつくるために編集の参考にさせていただきます。
2. お客様より収集させていただいた個人情報は、厳重に管理いたします。
3. お客様より収集させていただいた個人情報は、お客様の承諾を得た範囲を超えて使用いたしません。
4. お客様より収集させていただいた個人情報は、お客様の許可なく当社、当社関連会社以外の第三者に開示することはありません。
5. お客様から収集させていただいた情報を統計化した情報（購読者の平均年齢など）を第三者に開示することがあります。
6. はがきは、集計後速やかに断裁し、6か月を超えて保有することはありません。

●ご協力ありがとうございました。

欲するばかりでは幸運は手に入らない。
幸運を呼びこむひとつのカギは、人に手をさしのべられる広い心。

木

翌朝、ノットは目を覚ますと、ノームと湖の女王の話を思い出した。まだ信じたくはなかったが、こうしてひとりきりで森のなかにいると、誰も自分の味方などしてくれないような惨《みじ》めな気分になった。自分は運に見放されてしまったのだ。その考えが頭のなかをぐるぐると回りつづけていた。いったいこんなことをしてなにになるというのだろう。「やめてしまおうか」という考えが浮かんだ。温かいベッド、人々の話し声、おいしい料理。なにもかもが懐かしく、輝かしく思えた。だが、ノットは力強く首を振り、その考えを頭から追い払った。

「俺は必ず魔法のクローバーを見つけてやる」

ノットは自分を励ますように力強く立ち上がると、馬にまたがり、これまでどおり行く先々で魔法のクローバーのことを尋ねてまわった。しかし、やはりこれまでと同じように、そのありかを知っている者はいなかった。出発して三時間も経《た》たないうちに「ああ、結局今日も昨日と同じだ」とすっかり意気消沈し、とぼとぼとうろつきまわる彼がいた。

そのとき、ふとある思いが頭をかすめた。

「木々の女王、セコイアならば、なにか知っているかもしれない」

セコイアはこの森の主であると噂に聞いた覚えがあった。ノットは馬を森の中心へと向けた。

魅惑の森は、セコイアを中心に広がっていた。というのは、この森でいちばん古い木が彼女だったからだ。それから何万年もかけて、森はゆっくりゆっくりと広がっていった。つまり、セコイアは森のすべてを知り尽くしていると言ってもよかった。森の中心が近づいてくるにつれて、ノットのなかで期待と興奮が高まっていった。もう、望む答えを半分くらいは手に入れたような気分になっていた。

その姿を一目見て、セコイアだと分かった。いかにも森の長老にふさわしい苔《こけ》むした大木で、思わず言葉を忘れてしまうほどの雄大さだった。

ノットは馬を下りると、セコイアに歩み寄った。

「セコイア。木々の女王よ。話がしたい」

だが、返事はなかった。ノットはもういちど呼びかけてみた。

「セコイア。木々の女王よ。お前に話があるのだ。答えてくれ。わたしを知らぬか。騎士のノットだ」

その声に、あたりの枝がざわざわと動きはじめた。セコイアが目を覚ましたのだ。ノットは固唾《かたず》をのんで、彼女の言葉を待った。

「これはこれは。噂の騎士殿だね、話は聞いてるよ。森の声は、枝を渡り、根を通り、ぜんぶわたしのところに届くのだからね」深みのある、落ち着いた声だった。

「なにやら、探し物をしているそうじゃないか。さあ、聞きたいことがあるのなら早く聞いて、また眠りにつかせておくれ。なにせ五千歳も越えると、疲れてしかたがないのさ」

「それでは、手短にすませよう。今日から二日後、この森のどこかに魔法のクローバーが生えると聞いた。だが、ノームも湖の女王も、そんなものは知らぬという。そこで、この森の長老である貴殿に聞きにきたのだ。知っているのならば、ぜひ教えてほしい」

セコイアは返事をするかわりに、黙ったままじっと考えこんだ。五千年分の年輪にきざみこまれた記憶をひとつひとつさかのぼりながら、魔法のクローバーの記憶を探しはじめたのだ。ノットは、じりじりしながらそれを待っていたが、セコイアはなかなか口を開こうとしない。

「さあ、早くしてくれ、セコイアよ。わたしは急いでいるのだ」

「やれやれ、人間というのはせっかちな生き物だねえ」セコイアは言った。

「今、考えているところだよ。もうちょっと静かに待っておいで」

さらに時間が過ぎたが、相変わらずセコイアは黙ったまま答えようとしなかった。ノットはセコイアに無視されているものと思い、ついにしびれをきらすと、馬のほうへ引き返しかけた。

「お待ち」セコイアが言った。

「どうやら本当のようだよ。この森には、魔法のクローバーなど生えたことはない。この五千年のあいだ、一度もね」

「そんなまさか」という思いと「やっぱりそうだったか」という思いが同時にこみ上げ、ノットを絶望の淵《ふち》へと追いつめていく。やはりノームの言うように、マーリンの言ったことが嘘だったのだ。自分はきっと、まんまと一杯食わされたのだ。

ノームにも、湖の女王にも、そしてセコイアにも同じことを言われ、ノットはすっかり惨めな気持ちになってしまった。「魔法のクローバーはこの森には生えない」という現実が高い壁となって、彼の前に立ちふさがっていた。

はじめから、自分の手には運など握られていなかった。それを信じようとした自分にすら、彼は腹が立った。

ノットはセコイアに背を向けると馬にまたがり、その場を後にした。

シドはといえば、今日もまたいっそう爽やかな気持ちで目を覚ましていた。その横では、豊かな土が水を含み、魔法のクローバーが芽吹くのを待っているかのようだった。彼は、自分がこしらえた小さな場所を眺めながら、植物を育てるにはほかになにが必要かと考えをめぐらせた。土、水、とくれば、あとは日光だ。だが、そこは木々の枝で幾重にも覆い尽くされていて、漏れてくる光などほとんどと言っていいほどなかった。それに、どの程度の日光で魔法のクローバーが育つのか、彼は知らなかった。「植物のことならば、セコイアに聞いてみるのがいいだろう」森の長老である彼女ならば、答えを知っているかもしれない。シドは馬にまたがると、セコイアのいる森の中央へと出かけていった。

彼がたどりついたのは、ちょうどノットが立ち去ってすぐのことだった。シドはセコイアの前にひざまずくと、うやうやしく言った。

「全能なるセコイア、木々の女王よ。お話をさせていただけますまいか？」

またしても、セコイアは答えなかった。シドはもういちど語りかけた。

「木々の女王よ、敬愛するセコイアよ。お疲れでなければ、どうかお答えください。もしも今はお疲れであるならば、また出直してまいります」

実のところセコイアは、傲慢《ごうまん》なノットの態度に腹をたて、もう誰にを尋ねられても答えまいと思っていた。だが、彼女の前にひざまずくシドを見た彼女は、返事をすることに決めた。

「疲れていないといえば嘘になるね。だけど、答えようじゃないか。なにが聞きたいのかね？」

「ありがとうございます、木々の女王よ。わたしの質問は簡単です。もしもよい土と適量の水があるとすれば、魔法のクローバーを育てるのに、どれだけの日光を当てればよろしいのでしょうか？」

「ふむ……」セコイアは考えこんだ。だが、今回は短かった。というのは、答えは分かりきっていたからだ。

「日陰と日向《ひなた》が半々になるようにしなさい。だが、そんな場所がこの森にあるとは思わないね。見てのとおり、ここはどこに行っても日陰ばかり。それで魔法のクローバーが育たないのさ。さあ、これが答えだよ。もうひとりにしておくれ」

「その前にもうひとつだけ」と、シドは遠慮がちに言った。

「もしよろしければ、木々の枝をすこし落とさせていただけますまいか？」

「好きにするといいよ」セコイアは答えた。

「枯れ枝を落とすだけで、ちょうどいい陽の光が入ってくるようになるはずさ。それに、そのほうが木々も喜ぶだろう。この森の住人は怠け者ばかりでね。誰もそうやって、手入れなんかしちゃくれないんだ。みんなもう五千年も、そういうことを先延ばし先延ばしにしてきたからね」

「どうもありがとうございます」シドはていねいに礼を言うと、セコイアのもとを後にした。

土を敷いた場所に帰り着いたころには、すでに陽はかたむきはじめていた。シドは、枝を落とすのは明日にして、今日は休んでしまおうかと考えた。もう必要なものはすべてそろえることができたのだ。

「だが、今日できることは今日やってしまったほうがいい」それは、いつでも彼が教訓にしてきたことだった。もしも今のうちに枝を落としてしまえば、明日一日ゆっくり時間がとれる。そうすれば、見落としたこ

グッドラックの言葉

poplar

Good Luck

とがあってもなんとかなるはずだ。

彼は疲れた体にムチ打って木に登ると剣を抜き、枯れ枝を落としはじめた。なにしろ、十本以上の木から枝を落として回ったので、作業が終わるころには、すっかりくたびれ果てていた。彼は重い体を横たえると、新しい土の匂いをかぎ、水流の音に耳をかたむけながら、木々の隙間に現れた夜空を見上げた。星が美しくまたたいている。自分がこしらえたのはほんの小さな場所だけだが、そうして寝転がっていると、不安はすこしずつ消え去っていくようだった。

目をつぶると、クローバーの葉の形まではっきりと想像できた。小さなハート形をした葉が四枚、朝の光をうけてきらきらと輝いている。彼は深く息を吸いこむと、幸せそうに眠りに落ちていった。

クローバーが芽を出すまで、あと二日。

「下ごしらえを先延ばしにしてしまえば、幸運は絶対に訪れてはくれない。どんなに大変でも、今日できることは今日してしまうこと。」

小石

六日目。

ノットは絶望のどん底にいた。どうあがいても、絶対に魔法のクローバーを見つけることなどできはしない。そう思うと、森にいることさえ馬鹿らしく感じられた。

森にいるなんて、まだ魔法のクローバーが見つかるとでも思っているかのようだ。だが、もうマーリンの言葉を信じているのかいないのか、自分でも分からなかった。ノットは行くあてもなく、森のなかをただ̇さまよいつづけた。「もしかして、そうしていればなにかが起こるかもしれない」という淡い期待と、「こんなに望んでいるのに、なぜ運は自分に向いてくれないのか」と嘆く気持ちを胸に。

やがて、彼の目の前に天を突くような険しい岩山が姿を現した。その山のことなら聞いたことがあった。すべての石の母、ストンが住むと言われている『厳しき岩山』だ。ノットは初めて目の当たりにするその険しさに、すっかり心を奪われた。

「そうだ。この頂上から森を見渡しつづけているストンならば、なにか知っているのではあるまいか」ノットは、しばらく考えてから岩山を登りはじめた。

頂上まで登るのは思いのほか大変だった。たどりつくころにはもう、太陽は西に大きくかたむきはじめていた。ノットは見晴らしのいい頂上からストンの姿を探した。石をどかし、岩の陰をのぞきこみ、ときには声をかけてみた。その声に、大きな岩に止まっていた鮮やかな青い鳥が勢いよく飛び立ち、逃げていった。ノットは驚いて、一歩飛びのいた。

「ちょっと、なにするのさ。鳥が驚くじゃないか！」いきなり、鳥が飛び立った大岩から声が聞こえた。

「おやまあ、これはこれは。魔法のクローバーをお探しの騎士さんじゃないか。森じゃあすっかり噂の種だよ。クローバーは見つかったのかい？」

ストンはさもおかしくてたまらないというように、小さな声で、しかしノットに聞こえるように笑ってみせた。

「知ってのとおりさ」ノットはむっとしながら言った。「教えてくれ、ストンよ。この森には絶対に魔法のクローバーが生えないというのは、本当なのか？　この山の石の隙間にでも生えているのではないか？」

「まさか！」ストンは、大声で笑いだした。

「こんなにごろごろ石が転がってるところに、魔法のクローバーなんて生えやしないよ。お前さん、森をうろついているあいだにおかしくなっちまったんじゃないのかい？　もうさんざん聞いたことだろうが、この森のどこにも、魔法のクローバーなんて生えやしないんだ」

もう、なにを言い返す気にもなれなかった。ノットは深く長いため息をひとつつくと、ストンの笑い声を背中で聞きながら山を下りはじめた。

もう、魔法のクローバーなどどうでもいいような気がした。一緒にやってきたシドだって、どうせ見つけることなどできはしまい。

「俺に見つからないのだから、あいつにだって見つけられるわけがない」

彼は声に出して言ってみた。胸がすこし軽くなったような気がした。


シドは目を覚ますと、自分が敷いた土の上に陽の光が降り注いでいるのを、満足そうに眺めた。きらきらと光をはねかえす水流を見ていると、水の流れる音までが昨日とはぜんぜんちがうように思えてきた。自然と頬がゆるんだ。その場所に魔法のクローバーが生えるかどうかは、もう気にならなくなっていた。

ともあれ、あと一日しかない。シドはこの一日を、なにか見落としているることがないか確かめるために費やすことに決めた。土、水、日光。ほかになにか、必要なものがあっただろうか……。

シドは馬に乗って森のあちこちに出向き、そこで出会った生き物たちに、魔法のクローバーのことを尋ねてまわった。だが、誰もシドが知っている以上のことは知らなかった。さて、いったいどうしたものかとシドは考えこんだ。もしかしたら、本当にもう下ごしらえは整っていて、あとはただ待っていればいいだけなのかもしれない。

黙々と考えながら馬を進めているうちに、シドは『厳しき岩山』のふもとにたどりついていた。

「もしかして、この山から見下ろせば、なにか見つかるのでは？」彼は馬を木につなぎ止めると、山を見上げてみた。登るのはなかなか骨が折れそうだ。しばらく迷ったが、とにかく正しいと思ったことをやるしかない。今までもそうやって結果を残してきたのだから。彼は岩山を登りはじめた。

登ってみれば、頬をなでて吹きすぎていく風は心地よかったし、上に行くほど遠くまで見渡せるようになってくるのも楽しかった。

「頂上から見下ろしたら、いったいどんな気分だろう」と胸を躍らせながら登り続けているうちに、いつの間にかシドは頂上にたどりついていた。

そこからの景色は、本当にすばらしいものだった。すっかり夕暮れに包まれた森はオレンジ色に光り輝き、まるでおとぎの国に迷いこんだかのようだった。シドはその美しさに目を奪われながら、手近な石に腰をかけた。たとえなにも見つからなかったとしても、この景色を見られただけで山に登った甲斐《かい》があったというものだ。

「ちょっとあんた！　どきなさいよ！」

とつぜん、座っている岩から大声が聞こえた。シドは驚いて岩から飛びのいた。

「岩がしゃべった！」

「ただの岩だと思ったら大まちがい。わたしはすべての石の母、ストンさ」

岩はむっとした声で続けた。「あんたは、魔法のクローバーを探してるっていう騎士かい？」

「これは失礼いたしました、すべての石の母、ストンよ」シドは膝《ひざ》をつくと深々と頭を下げた。「まさに、魔法のクローバーを探している騎士にございます」

「で、クローバーは見つかりそうかい？」ストンは、おかしくてたまらないといった様子で、笑いをこらえながら言った。

「そのことでお聞きしたいのですが、よろしいですか？」

「そんなこと言われても、あたしゃ石だからね。クローバーのことなんてくわしくないよ」ストンは笑うのをやめた。「まあ、聞くだけ聞こうじゃないか。言ってごらん」

「土、水、日光。この三つのほかに、なにがあればクローバーは育ちますか？」

「ふむ」ストンは、しばらく考えてから言った。「その三つがあれば育つよ。魔法のクローバーっていったって、植物なんだからね。ただし、魔法のクローバーはただのクローバーじゃないから、普通に育てようったってそうはいかないのさ」

「とおっしゃいますと？」シドの胸の奥に、希望の火がともった。

「石さ」ストンは答えた。「土のなかに石ころがあると、魔法のクローバーは育たないのさ。ただのクローバーよりうんと弱いからね。でも、この森にはわざわざ石ころをひとつひとつ取り除いてくれるような、まめな御仁はいやしない。だから、魔法のクローバーなんて生えたことがないんだ」

「なるほど！」シドは思わず手を打っていた。

「やはりこの山に登ったのは正解でした。いや、そんな大事なことをお教えくださり、どうお礼を申し上げてよいか」

「礼なんていいよ」ストンは答えた。

「あたしはただ、知っていることを話しただけなんだから」

シドは、もういちど深々とストンに頭を下げた。太陽は、先ほどよりもずっと西にかたむいている。早く戻って、なんとか明るいうちに石をぜんぶ取り除いてしまわなくては。彼は全速力で山を駆け下りると、大急ぎで馬を走らせた。

息を切らして土を敷いた場所へ戻った彼は、馬に水流の水を飲ませながら、土を掘り返してみた。そこには、細かい石ころがたくさん含まれていた。彼は、ていねいにひとつひとつつまみ出していった。危うくこれまでやってきた下ごしらえを、すべて無駄にしてしまうところだった。

土、水、日光までは知っていたが、さすがに石ころのことまでは自分で気づくことができなかった。

その夜、シドは横になりながら、自分の耕した場所を眺めた。横には取り除いた石ころがたくさん積み上げられていた。昨日のうちに枝を落としておいて本当によかったと、シドは思った。もしも今日まで延ばしてしまっていたら、石を取り除いている時間などなかっただろう。彼は目をつぶると、また魔法のクローバーが芽を出すところを想い描いてみた。昨日よりもさらにはっきりとその様子が浮かんだ。葉から漂《ただよ》ってくるすがすがしい香りや、葉についた朝露の冷たさまでもが、手に取るように想像できた。

さて、とにかくできることはすべてやった。あとは明日の朝を待つだけだ。明日の朝、この土から魔法のクローバーは芽を出してくれるのだろうか……。

自分の知っていることがすべてとは限らない。
幸運をつかむには、あらゆる可能性に目を向けなくてはならない。

地

最後の夜を穏やかに迎えたシドとは裏腹に、ノットはやりきれない気分で過ごしていた。自分の意思とは関係なく「あきらめさせられた」ような気がして、納得できなかった。まだ、思ってもみなかったチャンスがどこかから飛び出してくるのではないかと思った彼は、じっとしていられずに森をうろつきまわっていた。今までもそうやって、思いがけず拾い物をしたことがあった。今回もきっと、なにかあるはずだ。

馬を進めているうちに、ふと、明らかに周囲とはちがう不思議な場所があることに気がついた。そこだけぽっかりと穴が空いたように、月明かりが差しこんでいるのだ。彼は注意深くそこに近づいてみた。

「ノット、ノットじゃないか！」

とつぜん、彼は呼び止められた。驚いて、思わず剣の柄《つか》に手をかけたところで、声の主がシドであることに気づいた。

「シドじゃないか！　どうしたんだ、そんなにぼろぼろになって」

確かに、シドの衣服は汚れきっていた。目のさめるような純白だったマントには泥や草の汁がつき、あちこち破れてしまっていた。

「ああ、これか」シドは両手を広げながら言った。「いや、自分で地面を耕していたんだよ。もしかして、魔法のクローバーが生えるんじゃないかと思ってね」

それを聞いたノットは、思わず吹き出してしまった。

「なんだって？　そんなことをしていたのか！」

そして、あわれむような表情をシドに向けると言った。

「この森の広さを見ろよ。こんなちっぽけな場所を耕したからって、いったいどうなるって言うんだ？」

「まあ、そう言わないでくれよ」シドは言った。「それより、君のほうはどうなんだい？」

「ぜんぜんだめさ」とノットは手をぱたぱたと振ってみせた。

「最初の日にノームに、この森には魔法のクローバーは生えないと言われてね。それからは、ほとんど探すのをやめてしまった」

「じゃあ、なんで城に戻らなかったんだい？」

「もしかしたら、歩きまわっていて偶然に見つかることもあるかと思ったのさ」ノットは面倒くさそうに言った。

「それより、騎士なんてやめちまって、農夫にでもなったらどうだ？きっと向いてるぞ」

ノットはもういちどシドの姿を皮肉っぽく笑うと、別れを告げて去っていった。シドはその背中を見送りながら、複雑な気分だった。

「マーリン殿は、森に行けば、なにもしなくても魔法のクローバーが手に入るとは言われなかったじゃないか」

偶然しか信じぬ者は、下ごしらえをする者を笑う。
下ごしらえをする者は、なにも気にしなくていい。

月光

森をさまようことに疲れたノットが、朝になったら城へ引き返そうと思いながら床につくと、なにかの鳴き声がした。彼は素早く体を起こすと、枕元に置いてあった剣をつかみ取り、さやから引き抜いた。

「誰だ！」言いながら、あたりに視線を配る。「下手なことをすれば、ただではおかぬぞ！」

その声に、暗闇のなかからひとりの魔女、悪名高きモルガナが姿を現した。肩にはフクロウが止まっている。どうやら先ほどの鳴き声は、このフクロウのものだったようだ。

「まあまあ、落ち着くがいい」モルガナはにやにや笑いながら言った。「さあ、剣をおさめよ。わしは取引をしに来たのだよ。お前さんも得する取引をね」

「取引だと？」ノットは剣を構えたまま聞き返した。

「いったいどんな取引だ？　俺は、魔女となど取引はせん。お前の悪名ならば、聞き及んでいるぞ」

「なるほど、その取引が魔法のクローバーのことでも、かな？」モルガナは、枯れ枝のような両手をこすり合わせながら言った。大きくとがった鼻の下で、黒い歯がのぞく口がにんまりと笑みを浮かべていた。ノットは注意深く剣を下げると、前に進み出た。胸のなかに、もしやこれが自分の探していた運ではないかという思いが浮かんできた。

「話だけは聞いてやる。どんな取引だ？」

「どこに魔法のクローバーが生えるか、教えてやろうというのさ」

「なんだと？　ありかを知っていると言うのか！」ノットは、今にもつかみかからんばかりの勢いで言った。

「まあ待て。それを言う前に、お前さんに約束してほしいことがある。その剣でマーリンの息の根を止めてほしいのだ」

「なに？」ノットは眉をひそめた。

「なぜマーリンを殺さねばならんのだ」

「なぜかって？　それはあいつがお前さんをハメたからだよ。マーリンだって、わしと同じように魔法のクローバーのありかを知っているんだ。簡単な話だよ。わしは魔法のクローバーのありかを教える。お前さんはマーリンを殺す。お前さんは限りなき幸運を手に入れ、わしは目ざわりなあの魔術師を葬り去ることができるってわけさ」

そうだ、俺はマーリンにだまされたのだ。そう思うと、モルガナの取引に乗ってみたい気持ちになった。マーリンが死んだところで、魔法のクローバーさえ手に入れれば、自分には輝かしい未来が待っているのだ。

「分かった」ノットは静かに言った。

「さあ、魔法のクローバーのありかを教えてくれ」

「魔法のクローバーは明日、城の庭園に生える。この森にじゃないよ」

魔女は、ノットの顔をうかがいながら言った。

「さあ、約束はちゃんと守っとくれよ」

「なに？」ノットは、信じられないといった様子で叫んだ。

「聞いただろう！　疑うのかい？　なにもかも、マーリンの策略なのさ」

モルガナが言うには、城に魔法のクローバーが生えると知ったマーリンが、ほかの者には絶対に見つからないよう、城から遠ざけてしまおうと嘘を教えたのだという。そして、騎士たちが魅惑の森に行ってしまっているあいだに、自分が摘み取ってしまおうというのだ。

「さあ、早く帰らないと間に合わないよ」モルガナは挑発するように続けた。「ここまで来るのに二晩かかったんだろう？　だが、明日の朝には魔法のクローバーが生えちまうんだ。もたもたするんじゃないよ」

ノットは怒りに震えていた。すべての謎が解けたような気分だった。絶対生えない魔法のクローバーを探すまぬけな騎士、というわけだ。魅惑の森の生き物たちが、自分をまるで馬鹿者ででもあるかのような目で見つづけてきた理由はこれだったのだ。

ノットは馬にまたがると、またたく間に夜の闇に消えていった。そして、ものすごいスピードで、城へ向かって馬を走らせた。

幸運をエサにするような人は信じないこと。
幸運は売り物でも、道具でもないのだから。

暗闇

まんまとノットをだますことに成功したモルガナは、黒いマントの騎士を乗せた馬が闇のなかへ消えていくのを見届けると、意地悪く笑いながら、こんどはシドが眠る場所へと歩きだした。この森へ追いやられて何十年経ったか。ようやく自分にも運が向いてきたのだ。そう思うと、笑いがこみ上げて止まらなかった。

シドはなかなか寝つけずにいた。自分が選んだ場所を疑う気持ちはなかったが、それでも、いよいよ最後の夜ともなると、落ち着いて眠ることができなかった。いや、むしろ胸を躍らせていた。ここ何日間も想い描いてきた魔法のクローバーの姿を、いよいよ明日の朝には目にすることができるのだ、と。彼は横になったまま、もう何時間も、自分が敷いた土を眺めていた。今にもそこからクローバーが芽を出すのではないかと思いながら。

とつぜん、茂みの向こうからフクロウが鳴く声が三度聞こえた。

「誰だ?」シドは体を起こすと、枕元に置いた剣に手を伸ばし、いつでもさやから引き抜けるように身構えた。

「まあまあ、そうあわてるでないよ」という声とともに、茂みの奥から魔女が姿を現した。

「わしは魔女のモルガナさ」

「ふむ……」シドは、いかにもずる賢そうな魔女の姿から目を離さずに言った。「こんな夜更けに、なにかご用かな?」

「お前さんも知ってのとおり、明日の朝になれば、この森に魔法のクローバーが芽を出すことになっておる。マーリンがお前さんに言ったようにね」モルガナは静かに言った。

「だが、マーリンは嘘をついたのさ」

「嘘だと?」シドは目を細めた。

「それはどういうことだ?」

「魔法のクローバーは、幸運を呼びこみなんてしないのさ。呼びこむのは、不幸のほうなんだよ。わしがこの手で呪いをかけたんだから、まちがいない。あのクローバーを摘み取ったものは、三日以内に死んでしまうようになってるんだ」

「ふむ」シドは剣を握ったまま、慎重に言った。

「だが、マーリン殿がそんなものをわたしに摘み取らせても、なんの得もない。でたらめを申すな」

「でたらめなものかね」モルガナはいやらしく笑った。「なにせそのクローバーが摘み取られなければ、こんどはマーリンが死んでしまうのだからね。だからマーリンは、誰かにそれを摘ませたくて、騎士たちを森に送ろうと考えたのさ。さて、これで謎は解けたろう？」

この魔女がでたらめを言っていることは、すぐに分かった。

「なるほど」シドは答えた。「ならば、今夜のうちに城へ帰ることにしよう」

「それが賢明というものさ」モルガナは笑った。

「それでこそ、白いマントのサー・シドというものだよ。サー・ノットは、もう今ごろ城へと馬を走らせていることだろうよ」

「だが、マーリン殿にお会いするために帰るのだ」シドは先を続けた。

「そしてあのお方じきじきに、魔法のクローバーを摘み取っていただく。摘み取らなければマーリン殿が亡くなると、お前は言ったな。だが、摘み取ったのがマーリン殿だとしたらどうだ？　その矛盾のおかげで、お前の呪いもやぶれることだろう」

この知恵くらべは、シドの勝利に終わった。モルガナの顔から笑いの仮面が剝《は》がれ落ちると、そこには冷徹で意地きたない、しわくちゃの魔女の顔だけが残った。無言のうちに失敗を認めたモルガナは、くるりとシドに背を向けると、暗闇のなかへと消えていった。

残されたシドは、ノットがなぜあんな魔女の言葉を信じてしまったのかと思い、やりきれない気持ちだった。騎士たちにとって絶対的な存在であるマーリンを疑うなど、思いもよらないことだった。マーリンはいつでも、この王国を正しいほうへと導いてきたというのに。それに、騎士にとってもっとも大事なことのひとつは、信念に忠実であることであったはず。

シドは剣の柄から手を離すと、ため息をつきながら土を敷いた場所を眺めた。この森に来てから今日まで、自分はずっと、目標と信念に忠実に行動してきた。その誇りは、モルガナのような意地きたない魔女の甘言に揺さぶられるようなものではなかった。

なにかが上手《うま》くいきはじめると、ときとして、それに目をつけた人々が甘い汁を吸おうとやってくる。大事なのは、そのなかで自分を見失わずにしっかりと本来の目標を見すえていられる気持ちの強さだ。シドは無言のままうなずくと両手を組み、マーリンへの祈りを捧げるのだった。

できることをすべてやったら、焦らず、あきらめぬこと。
自分には必ず幸運が訪れると信じ、甘い言葉には耳を貸さぬこと。

風と雨

翌朝、シドは目を覚ますと、自分が敷いた土の横にひざまずき、魔法のクローバーが芽を出すのを待ちつづけた。しかし、いくら待っても芽の出るきざしは見えなかった。ときおり「やはりこの場所ではなかったのかもしれない」という不安が胸をよぎった。

「いや、思いつくかぎり正しいことをやってきたではないか。今ここには、魔法のクローバーが生えない理由はなにひとつないのだ」そう考えると、確固たる自信が胸のなかの不安を吹き飛ばしてくれるのだった。

とつぜん、周りを取り囲んでいる木々の枝が、ざわざわと揺れはじめた。そんなことは、この森に来て初めてのことだった。シドは頭上を見上げ、いったいなにが起こるのかと、枝葉が風に揺れるのを眺めた。

シドには見えなかったが、じつはそのとき、彼の頭上を、運命と運の神ウインドが通り過ぎようとしていた。彼はきらきらと光る緑色をした雨を降らせながら、ゆっくりと魅惑の森上空を横切っていった。シドは、両てのひらを空へ向けると、落ちてくる雨を受け止めた。毎年この季節になると王国じゅうに降るこの緑色の雨は、人々にとっては悩みの種だった。色がついているだけでなく、すこしべたべたするので、洗濯物についたりしようものなら洗い落とすのが大変だったからだ。だがじつのところ、その雨の正体は悩みの種などではなかった。それこそが、魔法のクローバーの種だったのだ！

種は森じゅうに降りそそいでいる。森の生き物たちや、ノームや、セコイアや、湖の女王や、ストン、さらにモルガナや、城へとひた走りに走っているノットのもとにも。当然、シドが敷いた土の上にも降り、どんどん染みこんでいく。まるで空気そのものが透明な緑色に染まってしまったようで、シドはその美しさに言葉を失った。だが、広い王国のなかで種がしっかりと根づいたのは、ほんのちっぽけな場所だけだった。そう、シドが土を敷き、水を引き、日光を当て、石ころを取り除いた、ほんの小さな場所でだけ、種は根を張りだしたのだ。ほかのところに染みこんだ種たちは、すぐに枯れてしまった。

種はまたたく間に芽を出すと、数え切れないほどの魔法のクローバーになった。

「おお……」

シドはその様子を、信じられない気持ちで眺めていた。それはまさに、自分が想い描いたままの、魔法のクローバーだった。

彼はいつの間にか、感謝の涙をこぼしていた。だが、誰に感謝すればいいのか分からなかった。シドは空を見上げると、「どなたか存じませぬが、心の底より感謝を申し上げます」と両手を組み、目を閉じた。

「白き騎士、シドよ」空から声が聞こえた。「その必要はない」

「あなた様は……？」シドは手を組んだまま目を開き、声の主を探した。

「わたしは、運命と運の神、ウインドだ」声の主が言った。

「毎年この季節になると、わたしはこうして国じゅうに魔法のクローバーの種をまいているのだから。わたしは、すべての人々に、公平に幸運を分け与えているのだ。お前のもとに魔法のクローバーが芽を出したのは、お前がちゃんと下ごしらえをして待っていたからだ。わたしは、いつもどおりのことをしたまでだよ。幸運などというものは、いつだって手の届くところにある。それをつかめないのはつまり、労せずしてつかもうとしているからなのだ」

そう言い残すと、ウインドはまた別の場所に種を降らせるために、森を通り過ぎていってしまった。残されたシドは、空を見上げたまま両腕を広げ、自分に訪れたこの幸運を祈るような気持ちで受け止めていた。

幸運とは、限られた人だけに偶然やってくるものではない。下ごしらえをしっかりとした者のもとに、公平に訪れるものなのだ。

魔法のクローバーの種が枯れてしまわないように、ひとつひとつ、ていねいに下ごしらえをしてやること。これこそが、シドが幸運を手にすることのできた理由にほかならない。幸せとは、地道な作業をこつこつ続けてこそ、初めて手にすることができるものなのだ。

ウインドが通り過ぎ、木々を揺らしていた風がやんでしまうと、シドはクローバーを摘み取って森を後にした。

幸運を作るというのは、チャンスに備えて下ごしらえをしておくこと。
だがチャンスを得るには、運も偶然も必要ない。
それはいつでもそこにあるものなのだから。

幸運を作るというのは、つまり、条件を自ら作ることである。

芽

　ノットは夜を徹して馬を走らせ、ようやく城にたどりついた。その顔はマーリンへの憎悪にゆがみ、目は血走っていた。あまりに厳しくむち打たれた馬は、城門の前で力尽きると、どうと音を立てて地面に倒れこみ、そのまま死んでしまった。だがノットはそんなことにはおかまいなしに、地面が揺れるほどの勢いで、肩をいからせ城内へと踏みこんだ。右手で剣を引き抜き、その鋭い刃を光らせながら、次々とドアを開け放っては、マーリンの姿を探していく。

「マーリン！　マーリンはおるか！　ノットが城に戻ったぞ、姿を見せよ！」

それを目にした者には、はじめ、それが本当にノットなのかすら分からなかった。それほどまでに彼の形相は変わり果てていた。この七日間、マーリンに踊らされつづけたのだという恨みが、一夜にして彼を変えてしまったのだ。

ノットは燭台《しょくだい》を引き倒し、ランプを叩き割りながら城の庭園へと近づいていく。必ずや、そこにマーリンがいるはずだ。もしかしたら、今ごろは魔法のクローバーを手にして。

だが、庭園に躍り出たノットが見たものは、あまりにも意外な光景だった。最後に見たときには美しく花が咲き乱れ、緑豊かだったその場所が、いつの間にやらすっかり白いタイルに覆い尽くされてしまっていたのだ。

「これはなんと……」ノットは剣を手にしたまま、呆然《ぼうぜん》と立ち尽くした。

マーリンは、そんなノットの姿を見ると、手にした杖でタイルをコツコツと叩いた。

「戻ったか、ノットよ」静かで威厳に満ちた声で、マーリンが言った。

「いったいこれはどういうことだ……。なぜだ……！」ノットが髪を振り乱して尋ねた。

「モルガナの言うことなど、わたしにはお見通しなのだ、ノットよ」マーリンは白いひげをさすりながら言った。

「だが、こうでもしないと、お前はきっとわたしを信じてはくれなかったろう。そしてその剣でわたしを殺した後で、ここに魔法のクローバーが生えないことに気づいたにちがいないのだ」

その静かな声に、ノットはようやく我に返りはじめていた。「俺はまちがっていたのだ」という思いが、少しずつわき上がってきた。

「ノットよ。ここには魔法のクローバーは生えぬ」マーリンは続けた。

「クローバーはわたしの言うとおり、数時間前に魅惑の森に芽を出した。そなたが摘んでも余るほど、たくさんな。だが、そなたは自信を失い、探し求めることをやめてしまった。それだけではない。そなたはいつも、誰かに運を与えてもらおうとしかしなかったのだ」

ノットは剣を取り落とし、タイルの上に膝から崩れ落ちた。あまりのことに、言葉もなかった。目の前のマーリンにどう言っていいのか、まったく分からなかった。彼はやっとの思いでなんとか立ち上がると、そのままふらふらとした足取りで城を出て、自分の屋敷へと引き返していった。

それ以来、黒いマントの騎士、サー・ノットの姿を目にする者は、誰もいなかった。

シドはその翌日に城へ戻ってくると、ただちにマーリンのもとに駆けつけた。マーリンはすっかり薄汚れたシドの姿を見て、満足そうにうなずいた。

「マーリン殿、これをご覧くださいませ！」シドはそう言うと、両手いっぱいの魔法のクローバーをマーリンに差し出した。「本当にありがとうございました。これも、あなた様のおかげです。感謝の言葉も見つかりません」

「面《おもて》を上げよ、シドよ」マーリンは優しく声をかけた。

「わたしのおかげなどではない。すべて、そなた自身がやり遂げたことだ。そなたは自ら苦労して土を運び、湖の女王に手を貸し、夜を徹して枝を落とし、小石を拾い上げ、モルガナに甘言をささやかれても自分を信じつづけたではないか。そなたは信念を貫き通したのだ。その決断と行動こそが、運命を変えたのだ」

「ですが、あなた様のお言葉なしには、わたくしは……」シドの言葉を、マーリンがさえぎった。

「そなたが幸運をつかむことができたのは、そなたが自ら幸運を招こうと下ごしらえをしたからだ。わたしがしたことは、そなたを森へと向かわせたことだけだよ。つまり、自分自身が幸運の一部となることを、そなたは本心から願ったということだ」

シドは深々と頭を下げると、マーリンに別れを告げた。そして白馬にまたがると、自分の手にした幸運の物語を人々に話して聞かせるため、王国を旅してまわることにした。行く先々で、彼は人に幸運を分け与えつづけた。

彼は、魔法のクローバーが芽を出すところを想い描いたように、王国じゅうの人々が幸運を手にしているところを想い描いていた。彼にとって、話を聞かせながらの旅とは、新たな下ごしらえの始まりだったのだ。

幸運の下ごしらえは、自分にしかできない。
幸運の下ごしらえは、今すぐに始めることができる。

この物語は、あなたに続く

話を聞き終えたジムは、無言のまま、たった今マックスが聞かせてくれたことを胸のなかで思い返していた。マックスもまた無言だった。話をしたことで、幸運を手にした自分とそうでないジムを、余計にはっきりと区別してしまったような気がして、なんとなく気まずい思いでいた。なにも言わないジムの顔を横目で見ながら、マックスは「もしかしたら、こんな話をするべきではなかったのかもしれない」と思いはじめていた。だが、そうすること以外になにができただろう？　ただ黙って別れることは、彼にはできなかった。

ジムの目から、涙がひとつぶこぼれた。マックスはもう、どうしていいか分からなくなってしまった。声をかけようにも、追いこんでしまったのが自分なのだと思うと、申し訳ない気持ちで胸が詰まりそうだった。

「そんな気持ちにさせてしまって悪かった……」マックスは、やっとの思いで言った。「わたしが無神経だったのかもしれない……」

「そんなことを言わないでくれよ」ジムが微笑んだ。

「いくら君に幸運をつかんでほしかったとはいえ、こんな子どもじみたおとぎ話をするなんて、きっとどうかしていたんだ」

幸運のストーリーをこうしてジムに聞かせることができたとはいえ、今日ここで会うことができたのは単なる偶然、つまり運にすぎなかったのだ。運に導かれて出会い、運を否定してみせる。そんなことに、なんの意味があったというのだろう。なんとも皮肉な話だ。

「あまり気にしないでほしい」マックスは続けた。「そもそも、ここで会えたのはほんの偶然だったんだから。運を信じるのも、正しいのかもしれない」

「そうかい?」ジムは落ち着いた声で言った。

「僕はちょうど、逆のことを考えていたところなんだよ。なぜ今日、五十四年ぶりに再会した友だちから、このストーリーを聞くことができたのかってね」

「どういうことだい？」マックスが身を乗り出した。

「僕が今日こうして君と出会えたのは、偶然なんかじゃないんだ」ジムは言った。

「この何年ものあいだ、僕はすっかり落ちぶれた自分の身をなげきながら、いちばん楽しかったころのことばかり考えていた。そして、君に会いたいと思いつづけていたんだ。行く先々で探しつづけていたんだよ。今日もそうだ。あのベンチに座っているのは、もしかしたらマックスじゃないかと思って来たんだよ」

マックスの胸に熱いものがこみ上げてきた。

「僕が君に会えたのは、きっとそう願っていたからなんだ」ジムは微笑みながら続けた。「僕は知らず知らずのうちに、君に会うための下ごしらえをしていたというわけさ」

「じゃあ、このストーリーを信じてくれるのかい？」マックスも微笑んだ。

「信じるとも」ジムがうなずいた。

「僕は実際に、シドのように幸運をつかんだのだからね。今日僕は、自分の手で幸運を作ることができると証明できたんだ。そうだろう？」

「ああ、そうだね」マックスはうれしそうに言った。

「ひとつ、そのストーリーに付け加えてもいいかい？」ジムが言った。

幸運のストーリーは……、絶対に偶然には訪れない。

ふたりのあいだにもう言葉は必要なかった。親友同士は、ときとして言葉などなくても分かり合えるものなのだ。ふたりはかたく握手を交わした。

マックスが立ち去った後、ジムは、マックスがそうしていたように靴と靴下を脱ぎ、素足を草の上に投げ出してみた。かつて同じことを感じ、同じことで笑っていた友人と同じような感触を、ふと味わってみたくなったのだ。と、ジムの足になにかが触れた。優しく、彼に気づかれるのを待っていたかのように、それはあった。彼は体をかがめると、指先でそれを探し当て、地面から引き抜いた。四つ葉のクローバーだった。

それを指先でつまみ上げて目の高さにかざすと、自然と笑みがこぼれた。

「幸運は、自分の手でつかむことができるんだ」

晴れ渡った空は高く、よく凪《な》いだ海のように静かに広がっている。ジムは靴をはくと、ベンチから腰を上げた。これまで手にすることができなかった幸運を、その手につかむために。

あとがき

この本を書くのには
八時間しかかからなかった。

だが、
この本を考えるのには
三年もの月日がかかった。

人はもしかしたら
「たった八時間か」と思うかもしれない。

だがもしかしたら、
「三年もかかったのか」と思うかもしれない。

前者は、
運の訪れを待つ者たちのこと。

後者は、
幸運への下ごしらえを
できる者たちのこと。

アレックス・ロビラ Alex Rovira
ヨーロッパの名門ビジネススクールESADEを卒業後、民間企業でマーケティングのキャリアを積む。1996年、コンサルティング会社を設立。クライアントにはヒューレット・パッカード、マイクロソフト、ソニー、モルガン・スタンレーなどが名を連ねる。MBAをもつ経済学者でもあるが、心理学や民俗学にも造詣が深く、企業活動や消費行動をダイナミックな人間学の中に位置付ける新しいマーケティング手法は高い評価を得ている。

フェルナンド・トリアス・デ・ベス Fernando Trias de Bes
ESADEで学んだ経済学者およびMBAホルダー。ニナリッチで有名なアントニオ プイグなどのマーケティング戦略に携わり、大幅な売上増へと導いた。1996年に会社を設立、ボーダフォン、ネスレ、ダノン、メルセデス・ベンツ、ソニーなどの仕事を受けている。2003年、「マーケティングの神様」フィリップ・コトラーとの共著を発表し、世界中の注目を集めた。(邦題『コトラーのマーケティング思考法』東洋経済新報社刊)

田内志文 たうち・しもん
1974年生まれ。埼玉県出身。翻訳家、物書き。他の訳書に、『ウォールフラワー』(スティーブン・チョボスキー著　集英社文庫)、『銀行強盗にあって妻が縮んでしまった事件』(アンドリュー・カウスマン著　東京創元社)、『吸血鬼ドラキュラ』(ブラム・ストーカー著　角川文庫)、『新訳　道は開ける』(デール・カーネギー著　角川文庫)、『ザ・ワーズ　心を癒す言葉』(アレックス・ロビラ編著　ポプラ社)など多数があるほか、小説の執筆と朗読なども行っている。
英国のビリヤード競技、スヌーカーの選手としても活躍する。

グッドラック

2004年6月22日　第1刷発行
2020年7月9日　第78刷

著者　アレックス・ロビラ
　　　フェルナンド・トリアス・デ・ベス
訳者　田内志文
発行者　千葉 均　　編集／野村浩介・斉藤尚美　編集協力／岡部事務所
発行所　株式会社ポプラ社
　　　〒102-8519　東京都千代田区麹町4-2-6
　　　TEL:03-5877-8109(営業)
　　　　　03-5877-8112(編集)
　　　一般書事業局ホームページ　www.webasta.jp
印刷・製本　図書印刷株式会社

N.D.C.963/119P/20cm　ISBN978-4-591-08145-7

P8000142